Krijn en

Geertje Gort
Tekeningen van Joyce van Oorschot

Zwijsen

Bij opa en oma

Krijn logeert bij opa en oma.
Papa en mama zijn naar het ziekenhuis.
Krijn weet wel waarom.
Hij rent naar opa in de keuken.
'Vandaag krijgt mama een kindje!' roept hij.
'Vandaag?' vraagt opa.
'Het kan ook morgen zijn hoor.
Papa belt als het kindje er is.'
'Zullen we raden?' vraagt Krijn.
Opa kijkt verbaasd.
'Wat wil je dan raden?'
'Of het een jongen wordt,' zegt Krijn,
'of een meisje.'
'Dat is een moeilijk raadsel,' zegt opa.
'Nee hoor!' roept Krijn.
'Ik raad dat het een jongen wordt.'
Opa lacht.
'Dan raad ik een meisje.
En nu heb ik een raadsel voor jou!'

Wat heeft oren
maar kan niet horen?

Krijn denkt heel diep na.
Wat kan dat nou toch zijn?
Hij kijkt rond in de keuken.
En dan ineens weet hij het.
'De pan op het gas, opa.
De pan heeft oren!'
'Hè,' zegt opa, 'jij weet ook alles.
Kom, we gaan koffie zetten.'
'Mag ik oma vast roepen?'
'Ja, dat is goed.'

Krijn rent door de lange gang.
'Oma, koffie met taart!' roept hij.
Oma is in haar werkkamer.
Krijn duwt de deur open en blijft staan.
'Mooi, oma,' zegt hij.
'De golven en de wolken!
Ik wil later ook schilder worden.'
'Hè, wat zeg je?'
Oma draait zich om.
Als oma schildert, hoort ze niks.
'Opa heeft koffie,' zegt Krijn.
'Met appeltaart!'

Een zusje is ook goed

'Mag ik ook koffie?' vraagt Krijn.
Opa kijkt naar oma.
'Nou, oma, zeg jij het maar.
Van koffie krijgen kinderen groen haar.'
'Nee hoor,' zegt oma.
'We doen er gewoon heel veel melk in.'
Krijn klapt in zijn handen.
'Ah,' zegt hij, 'van oma mag het.'
Op dat moment gaat de telefoon.
'Papa!' roept Krijn.
'Pak hem maar,' zegt oma.
En ja hoor, het is papa.

'Papa, papa, zeg het gauw.
Is het een broertje of een zusje?
O, een zusje, dus geen broertje?
En ze heet Anna?
Nou ja, een zusje is ook goed!'
Oma neemt de telefoon over.
Krijn loopt naar opa.
'Een zusje is ook goed hè, opa?'
'Wat dacht je dan?' zegt opa.
'Een zusje is geweldig.
We gaan die kleine Anna vandaag nog bekijken.'

Meteen na de koffie gaan ze op weg.
Krijn, opa en oma.
Ze kopen bloemen voor mama.
En chocola voor papa.
Daarna gaan ze nog naar het speelpaleis.
Daar verkopen ze alleen speelgoed.
'Zoek maar iets uit voor Anna,' zegt oma.
'Ik geef een knuffel,' zegt Krijn.
Hij zoekt een pop met lange benen uit.

In het ziekenhuis ruikt het naar ziek ...
Maar mama is niet ziek, mama heeft een kindje.
Kleine Anna ligt dicht tegen mama aan.
Krijn aait over haar haartjes.
'Ze is echt lief,' zegt hij.
'Maar gaan we nu naar huis, papa?
Papa schudt zijn hoofd.
'Dat kan niet, Krijn.
Mama mag morgen pas naar huis.
Je slaapt nog één nachtje bij opa en oma.'

Frietjes en een beertje

Krijn zegt niet veel op de terugweg.
'Is er iets?' vraagt opa.
'Ik wil dat mama weer thuis is,' zegt Krijn.
'En papa en mijn zusje.'
'Morgen ga je weer naar huis,' zegt opa.
'Nog maar één nachtje slapen.
En we moeten toch nog zoveel doen!
Frietjes bakken en voorlezen.'
'En ... schilderen!' zegt oma.
'Maar goed dat je vakantie hebt.'
Krijn lacht alweer.
'Krijg ik dan een echt penseel, oma?
En mag ik dan een verfpetje op?'
'Hoor dat nou eens,' zegt opa.
'Meneer wil een echte schilder worden.'

Thuis zet opa meteen de frietpan op het gas.
Oma haalt een pakje uit de kast.
'Voor jou,' zegt ze tegen Krijn.
Krijn trekt het papier eraf en roept: 'O!
Wat een mooi boek, oma!
Gaat het over beren?'
Oma knikt.
'Ja, over een lief, klein beertje.'
Terwijl opa friet bakt, leest oma voor.
De titel van het boek is Beertje.
En het verhaal begint zo:

Beertje is verdrietig.
Hij is zijn mama kwijt.
Hij zoekt in het bos en bij het meer.
'Mama, mama,' roept hij.
'Ik heb honger, ik heb dorst.'
Hij ontdekt een struik met bessen eraan.
Hij proeft ervan.
Oei, die bessen zijn bitter!
Waar is mama nou toch?
Zij weet waar je honing kunt vinden.
'Mama, waar ben je?'

'Ik vind het zielig voor Beertje,' zegt Krijn.
'Denk je dat hij zijn mama vindt, oma?'
'Ik weet het niet zeker,' zegt oma.
'Wat denk jij?'

Krijn krijgt een ezel ...

Krijn en oma gaan naar de kamer van oma.
Krijn neemt het boek van Beertje mee.
'Ik ga Beertje schilderen,' zegt hij.
'Maar ik schilder hem niet verdrietig.
Hij vindt zijn mama wel weer.
Daarom schilder ik hem blij.'
Oma knikt.
'Ik help je er wel bij,' zegt oma.
'De lippen van Beertje moeten omhoog krullen.
Dan zie je dat hij lacht.'

Oma haalt van alles uit de kast.
'Verf, schetsboek, een penseel,' mompelt ze.
'En nu de ezel nog.
Of heb je liever een koe?'
'Oma, wat zeg je nou toch?'
Oma lacht.
'Weet je het niet meer?
Dit houten ding heet een ezel.
Elke schilder gebruikt er een.
En deze heb ik voor jou gekocht.'
Krijn krijgt er een kleur van.
'En nu nog een petje, oma!' roept hij.
'Dan ben ik pas een echte schilder.'

Krijn bekijkt Beertje nog eens goed.
Oma heeft voorgedaan hoe het mondje moet.
Maar hij begint met het lijfje.
Daarna schildert hij de pootjes.
En dan pas het kopje met het mopsneusje.
En nu het mondje ...
Krijn zucht ervan.

Hij doet een stap terug.
Dat doet oma ook steeds.
Dan pas kun je zien of het goed wordt.
Oma komt kijken.
'Nou, nou,' zegt ze.
'Het is precies Beertje van je boek.
En wat kijkt hij vrolijk.'
'Natuurlijk,' zegt Krijn.
'Hij vindt zijn mama terug.
Vast wel!'

Hokus-pokus-pas

Thuis gaat Krijn om half acht naar bed.
Maar bij opa en oma mag hij opblijven.
Oma zet thee met lekkere koekjes erbij.
Krijn is al in bad geweest.
In zijn pyjama zit hij aan de tafel.
Opa weet een kunstje.

'Ik leg een euro onder dit petje, Krijn.
En daarna pak ik hem weer.
Maar ik raak het petje niet aan.'

'Dat kan niet, opa,' zegt Krijn.
'Jawel hoor,' zegt opa.
Hij doet hokus-pokus boven het petje.
'Kijk dan, Krijn, of het geld er nog is.
Krijn pakt het petje en opa pakt de euro.
Opa grinnikt.
'Nou, wat zei ik je, Krijn?
Ik heb het petje niet aangeraakt.'
'Leuk!' roept Krijn.
'Dat kunstje doe ik morgen bij papa.'
'En nu is het bedtijd,' zegt oma.
'Lees je dan boven nog even voor, oma?
Uit Beertje?'
Krijn ligt in bed en oma leest voor.

Beertje zoekt en zoekt.
Hij kijkt achter de bomen.
Hij kijkt nog eens bij het meer.
Hij kijkt zelfs in de lucht.
'Mama, waar ben je nou?'
'Ben jij jouw mama kwijt?' vraagt Schildpad.
'Ja, weet jij waar ze is, Schildpad?'
Schildpad haalt zijn schouders op.
'Nu even niet,' zegt hij.
'Maar vanmorgen heb ik haar nog gezien.'
Er rollen twee tranen over Beertjes wangen.
'Mama, kom nou terug!' roept hij.

Krijn zucht.
'Het is een zielig verhaal,' fluistert hij.
Oma trekt Krijn naar zich toe.
Ze ziet twee traantjes op zijn wangen.
'Moet ik stoppen met voorlezen?' vraagt ze.
'Nee, oma, nee!
Ik wil weten hoe het afloopt.
De schildpad heeft zijn mama gezien.
Het komt vast weer goed.'
'Dat denk ik ook,' zegt oma
Krijn zit lekker dicht bij oma.
En oma gaat verder met het verhaal.

Daar gaat Beertje weer.
'Je vindt je mama wel,' roept Schildpad nog.
'Ze kan echt niet ver weg zijn.'
Beertje wrijft over zijn buikje.
Hij heeft honger.
Hij spitst zijn oortjes.
Hoort hij daar bijen zoemen?
Waar bijen zijn, is honing!
Ja, hij ruikt de zoete honing.
Daar, in die boom, daar wonen ze.

Beertje rent erop af.
Maar wat is dat?
Au, au, de bij steekt!
Was mama maar hier.
'Mama, waar ben je nou?
Ik mis je ...'
Ineens blijft Beertje staan.
Hij ruikt iets.
Hij ruikt, hij ruikt mama ...
Daar is ze!
Eindelijk is hij weer bij zijn mama.

Beschuit met muisjes

De volgende dag gaat Krijn weer naar huis.
Opa en oma gaan natuurlijk mee.
Mama zit gewoon weer in de stoel.
In haar spijkerbroek en bloes.
En Anna drinkt bij mama.
'Ik vind haar neusje zo lief,' zegt Krijn.
Hij drukt er een kusje op.
Papa komt binnen met beschuit met muisjes.
Roze en witte muisjes.
'Dat hoort bij een meisje,' zegt papa.
'Dat weet ik, hoor!' roept Krijn.
'En bij een jongen krijg je witte en blauwe.'
'Wil je Anna even vasthouden?' vraagt mama.
'O, ja!' roept Krijn.
Oma legt het kindje in zijn armen.
'Dag, Anna,' fluistert hij.
'Ik heb een pop voor je gekocht.
Vind je haar mooi?'
Even later legt papa Anna in de wieg. 'Nou ga ik
alles vertellen!' roept Krijn.
'Over wat er leuk was bij opa en oma.
Opa bakte friet en hij weet kunstjes.
En van oma kreeg ik een Beertjesboek.'
'Nou, nou,' zegt mama.
'Je bent wel verwend.'